Lexique de la microélectronique

BIBLIOTHÈQUE ADMINISTRATIVE
Ministère des Communications du Québec
Éléments de catalogage avant publication

Campbell, Carmen
Lexique de la microélectronique / Carmen Campbell, Andrée Nolet.
—— [Montréal] ; Office de la langue française, 1987.
48 p. —— (Cahiers de l'Office de la langue française. Terminologie technique et industrielle).
«Lexique anglais-français».
Bibliogr. : p. 41-45.
ISBN : 2-551-08643-4

1. Microélectronique — Terminologie 2. Français (Langue) - Dictionnaires anglais 3. Anglais (Langue) — Dictionnaires français I. Nolet, Andrée II. Québec (Province). Office de la langue française III. Titre IV. Collection.
A11 L3 T43 /

Ce lexique a été préparé à
la Direction des productions
linguistiques et terminologiques
de l'Office de la langue française.

Cette édition a été produite par
Les Publications du Québec
1279, boul. Charest Ouest
Québec (Québec)
G1N 4K7

Conception graphique de la couverture :
Delisle Gagnon

Deuxième tirage — juin 1988

Dépôt légal - 3e trimestre 1987
Bibliothèque nationale du Québec
Bibliothèque nationale du Canada

ISBN 2-551-08643-4

Cahiers de l'Office
de la langue française

Les
PUBLICATIONS
DU QUÉBEC

Lexique de la microélectronique

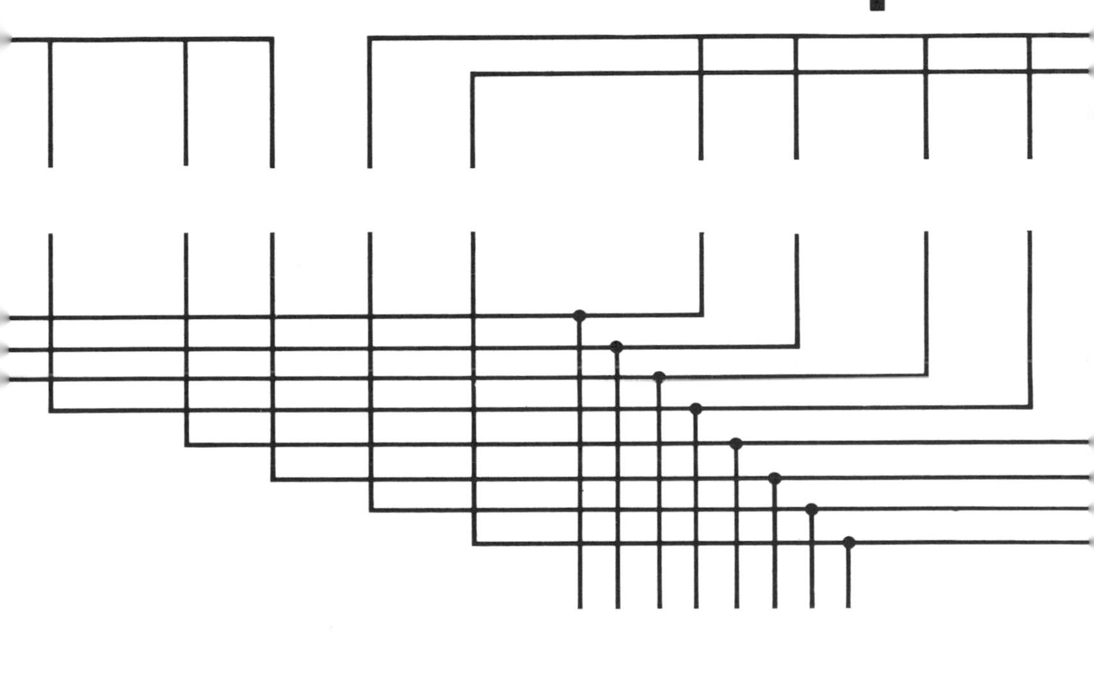

Terminologie technique et industrielle

Lexique anglais-français

Carmen Campbell Andrée Nolet

Québec

Comité de référence

Carmen Boyer-Carignan
terminologue
Honeywell ltée

Adrien Leroux
président
Société de microélectronique
industrielle de Sherbrooke inc.

Luc Gagnon
ingénieur
Mitel Corporation

Le contenu de cette publication est également diffusé par
le réseau public de la Banque de terminologie du Québec sous diverses formes.

Préface

Ce lexique de la microélectronique vient à point nommé. Le Québec traverse une phase d'innovation industrielle unique dans son histoire. Tout se passe comme si la récession du début des années 1980 avait causé un choc salutaire et entraîné un redéploiement industriel qui a eu lieu en grande partie dans le domaine de la microélectronique. L'orientation n'a pas de quoi surprendre. C'est là, en effet, que se trouve le gros du potentiel de croissance de l'industrie.

Cela ne signifie pas que toutes les petites et moyennes entreprises (PME) qui naissent aujourd'hui ont pour vocation de produire des composants électroniques. Mais elles font toutes appel à la microélectronique à une étape ou une autre du processus de production. Et, l'expérience nous montre que, dans ce domaine, le moyen d'expression utilisé est l'anglais.

L'électronique a pourtant plusieurs origines quand elle apparaît au tournant du siècle. L'Allemagne, l'Italie, la France et même la toute jeune Union soviétique ont contribué aux premiers pas de cette épopée scientifique et technique aux côtés de la Grande-Bretagne et des États-Unis.

Tout change à partir de la révolution microélectronique : son acte de naissance est américain. L'invention du transistor en 1948 a lieu dans les Bell Labs. Celle du circuit intégré en 1958 est le fruit des efforts concurrents de Fairchild et de Texas Instruments. Intel présente le premier microprocesseur en 1971. Cela n'est pas sans avoir de conséquences sur la langue.

Les mots pour dire la microélectronique sont toujours ou presque créés en anglais d'abord. La langue française est ainsi obligée de se livrer à une poursuite effrénée pour ne pas être submergée. Qu'on ne s'y trompe pas, l'enjeu est majeur. Si la terminologie des technologies nouvelles n'est pas francisée, notre langue sera exclue de l'activité économique et scientifique. Viendra-t-il également un temps où il sera impossible de nommer les choses de la vie en français?

Ce lexique de la microélectronique est donc une pièce importante sur l'échiquier linguistique québécois et même international. Il faut saluer cette initiative de l'Office de la langue française (OLF) qui apporte un instrument de travail indispensable aux usagers de la microélectronique et un repère précieux au grand public. L'OLF a largement consulté les différents intervenants de l'industrie microélectronique, dans le cadre d'un comité de référence, pour mener à bien cette tâche. Il en est résulté un ouvrage simple et adapté aux nécessités de l'entreprise. Le Conseil de l'industrie électronique du Québec (CIEQ) est fier d'avoir été associé à la création de ce lexique.

Qui plus est, le CIEQ est prêt à renouveler l'expérience. La microélectronique est un domaine en plein essor. Au mois de mars dernier, une équipe de chercheurs a présenté devant la très respectable « American Physical Society » la possibilité de fabriquer des supra-conducteurs qui fonctionnent à la température ambiante. Une troisième étape s'ouvre à l'électronique : après les tubes, après les semi-conducteurs, voici que s'annoncent les supra-conducteurs. La technique n'attend pas. Il va falloir chausser des bottes de sept lieues pour continuer à être présent dans l'arène culturelle du XXIe siècle.

Après tout, notre langue n'est pas seulement celle de Molière, mais aussi celle de Pasteur, Marie Curie et, plus proche de nous, Hubert Reeves.

Le président du Conseil de l'industrie
électronique du Québec,
Pierre Pharand

Introduction

L'ère moderne nous a apporté le développement de plusieurs technologies nouvelles dont la microélectronique. De cette dernière, ce qui nous est le plus familier est sans doute l'utilisation quotidienne d'appareils ou dispositifs électroniques dont nous apprécions, à juste titre, la fonction. Mais la microélectronique va au-delà de cette utilisation; elle est la pierre angulaire de plusieurs applications techniques.

Ce domaine hautement scientifique possède un langage propre qui mérite une attention tout à fait particulière. Aussi, nous constatons que la terminologie française s'y rattachant est peu utilisée, parce qu'elle est méconnue ou inexistante. Comme aucun ouvrage ne regroupe les dénominations de ce monde de l'infiniment petit, la Banque de terminologie du Québec (B.T.Q.) de l'Office de la langue française veut répondre à une partie des besoins existants en rendant accessible la terminologie française **de base** de la microélectronique, de façon prioritaire, afin de permettre aux concepteurs, diffuseurs et fabricants de communiquer en français.

Le *Lexique de la microélectronique* est une publication appartenant à un secteur technique et industriel de pointe qui vient combler les lacunes terminologiques et concourir à l'uniformisation de la terminologie du domaine. Il traite principalement de la conception et de la fabrication des circuits électroniques fortement miniaturisés, dénommés microcircuits; les unités terminologiques reliées aux domaines spécifiques sont le coeur de cette publication. C'est un ouvrage de consultation pratique présenté en ordre alphabétique des entrées anglaises et comportant un index des termes français qui renvoient au numéro de l'article.

L'urgence de l'implantation d'une terminologie française du domaine nous ayant été soulignée, nous avons opté pour une publication de type lexique plutôt que vocabulaire (avec définitions) qui aurait pris davantage de temps. Nous avons traité environ 350 notions dont les fiches terminologiques complètes ont été versées dans la B.T.Q. et peuvent être consultées par les abonnés de la banque, ou encore, sont accessibles par l'intermédiaire d'autres services de l'Office de la langue française.

Ce lexique a été conçu selon les principes de recherche terminologique thématique pratiquée à l'Office de la langue française; les recherches ont débuté par l'identification des besoins, la constitution de la nomenclature, sanctionnée par un comité de référence composé d'experts québécois, et se sont poursuivies par la recherche des définitions, contextes et équivalents. Un certain nombre de cas-problèmes furent soumis à des experts français lors d'une mission en France. Cette consultation des spécialistes français nous a apporté des éclaircissements sur des notions ou des équivalents utiles pour eux et pour nous parce que les besoins terminologiques en microélectronique sont les mêmes en France et au Québec.

Le choix des notions répertoriées dans cet ouvrage s'est fait principalement à partir des données préalablement stockées dans la B.T.Q., d'une documentation technique unilingue anglaise, en provenance des États-Unis, et unilingue française, soit de la France, soit du Québec. Parmi les équivalents français identifiés, nous avons sélectionné le terme qui prévalait sur les autres, soit par sa fréquence, soit par son aptitude à s'implanter dans l'usage. Ce terme a donc été privilégié par rapport aux autres parmi lesquels certains ont été retenus toutefois comme synonymes, puisqu'on peut les rencontrer dans la documentation et que l'usage n'est pas encore fixé. Dans certains cas, nous avons dû emprunter à la terminologie d'autres langues de spécialité; par exemple, le terme *réusinage* et son synonyme *remise en fabrication* proviennent de la terminologie de la gestion de la production. Étant donné qu'il n'existait pas d'équivalents français pour certains mots de cette technologie d'origine anglo-saxonne, des termes ont dû aussi être créés en respectant les règles de formation lexicale du français, comme par exemple, *cuisson simultanée* et son synonyme *cocuisson (co-firing)* ou *revêtement par centrifugation (spin coating)*. Dans d'autres cas isolés, nous avons retenu des équivalents utilisés uniquement en France, mais qui nous paraissaient susceptibles de s'implanter chez nous comme *boîtier pavé* pour *chip carrier*, par exemple.

De plus, nous avons mis en évidence certains équivalents français qui ne réussissaient pas vraiment à s'implanter parce qu'ils étaient méconnus, tels que *circuits intégrés à application spécifique (Application Specific Integrated Circuit)*.

En fait, jusqu'à maintenant, les pays francophones ont eu tendance à emprunter une grande partie de leur terminologie à l'anglais. Et, seulement lorsque le besoin se faisait sentir, ils ont eu recours à la création de termes français équivalents nécessaires à la traduction, l'enseignement, la rédaction de rapports divers, de conférences, etc.

Parmi les termes de la nomenclature, certains ont été étudiés par d'autres groupes de travail (par exemple, le groupe de travail des terminologies des technologies nouvelles), et, dans la mesure où cela nous permettait de préserver l'homogénéité de notre lexique, nous avons pris en compte leurs propositions. Citons, à titre d'exemple, *porte de transfert* auquel nous avons ajouté un synonyme *circuit tampon* et un équivalent anglais *buffer circuit*. Étant donné l'évolution rapide des différentes techniques utilisées, nous avons dû adapter les recherches déjà effectuées afin de les mettre à jour. Ainsi, dans l'état actuel des recherches, *dispositif à transfert de charges* semble plus utilisé comme équivalent de *charge-coupled device* que *circuit à couplage de charges* qui a été, pour cette raison, mentionné comme synonyme. Nous profitons de l'occasion pour remercier ces groupes de travail et également tous les collaborateurs, membres du comité de référence, personnes-ressources dont Mme Nycol Pageau-Goyette, directrice générale du Conseil de l'industrie électronique du Québec, MM. Denis Laurendeau du département de génie électrique de l'Université Laval, Louis Bélanger, ingénieur, vice-président de Lyre et de l'Institute of Electrical and Electronics Engineers (IEEE), section québécoise, et Ahmed Elassal, ingénieur au ministère du Commerce extérieur et du Développement technologique, les spécialistes rencontrés en France, tout particulièrement M. Jacques Bodin ainsi que ses collègues ingénieurs et les membres de diverses associations rencontrés à l'Union technique de l'électricité, les collègues de travail et Mme Carole Couture, stagiaire de l'Université Laval, qui ont participé à cette publication, et finalement, nous désirons particulièrement souligner la contribution de Mme Tina Célestin qui a assuré l'encadrement scientifique de notre travail et de M. Denis Juneau, responsable de la révision du manuscrit.

Puisque la microélectronique est en constante évolution, les commentaires de la part des utilisateurs de cette terminologie seront appréciés afin de poursuivre les travaux dans ce domaine.

Les auteures

Abréviations et guide d'utilisation

abrév.	abréviation	n. m.	nom masculin
adj.	adjectif	n. m. pl.	nom masculin pluriel
n.f.	nom féminin	syn.	synonyme
n. f. pl.	nom féminin pluriel	v.o.	variante orthographique

1. Présentation des articles

a) La nomenclature est présentée dans l'ordre alphabétique des termes anglais. Chaque entrée est précédée d'un numéro d'article. Il en va de même pour chacune des sous-entrées anglaises (abréviations et synonymes) qui sont reprises dans la nomenclature et renvoient au terme principal de l'article dans lequel elles sont traitées. Ainsi, la mention *Syn. de*, dans *junction FET* Syn. de *junction field effect transistor*, sert de renvoi à l'article *junction field effect transistor* où *junction FET* est une sous-entrée synonyme.

b) Chaque article terminologique comprend, pour le français, le terme vedette suivi de l'indicatif de grammaire et, le cas échéant, de ses sous-entrées — abréviations, variantes orthographiques, synonymes, termes à éviter.

c) L'entrée principale est séparée des synonymes par un point-virgule. Les sous-entrées de même nature (abréviations, termes à éviter, etc.) sont aussi séparées par un point-virgule.

d) Certains articles sont suivis d'un appel de note, s'il y a lieu.

e) Le signe □ précède un ou plusieurs domaines spécifiques.

2. Index français

Le lexique proprement dit est suivi d'un index qui reprend toutes les entrées et sous-entrées françaises accompagnées du numéro de l'article où elles sont traitées. Les termes à éviter y sont inscrits en italique, suivis de la mention *terme à éviter*, en romain.

3. Bibliographie

La bibliographie présentée à la fin du lexique comprend les documents utilisés lors du traitement terminologique des données, classés par ordre alphabétique d'auteurs ou d'organismes. Vous noterez que pour certains périodiques, nous avons préféré ne mentionner que la date de parution du premier numéro afin de ne pas surcharger la présentation bibliographique.

ARBRE DU DOMAINE
DE L'ÉLECTRONIQUE

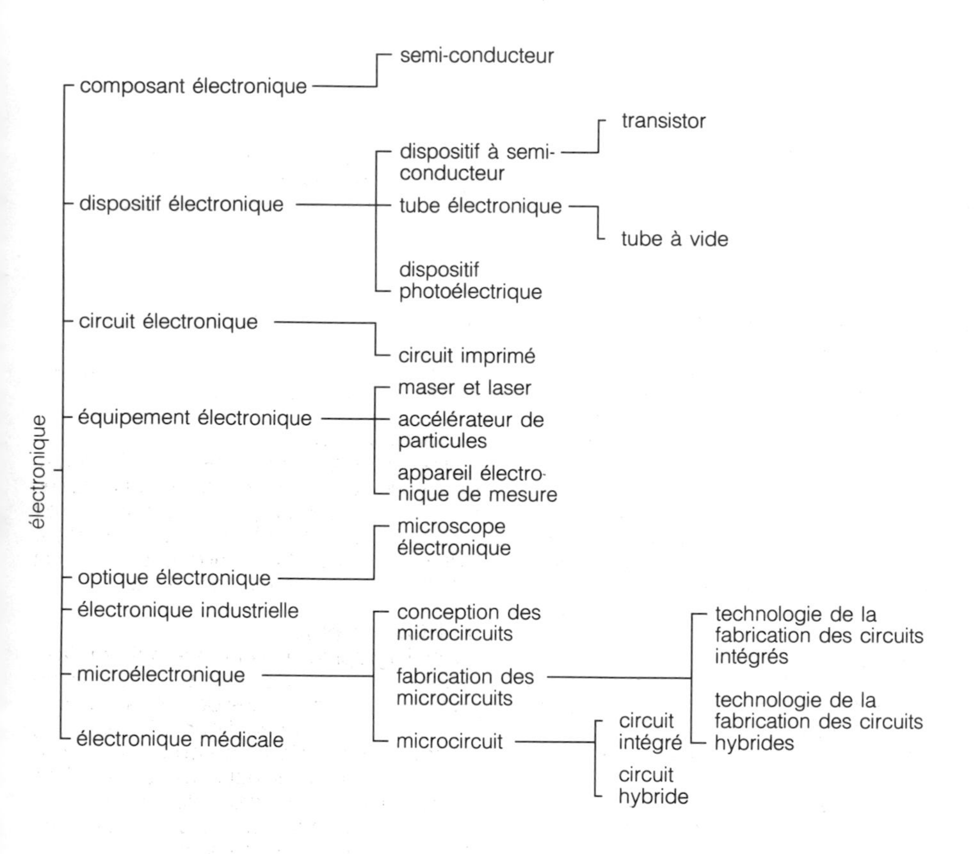

Lexique

A

1. *accelerated-aging test*
   V.o. *accelerated aging test*
essai de vieillissement accéléré n. m.
□ fabrication des microcircuits

2. *accumulator;*
   accumulator register
accumulateur n. m.
Abrév. **ACC**
□ conception des microcircuits

3. *accumulator register*
   Syn. de *accumulator*

4. *active trim*
   Syn. de *dynamic trimming*

5. *active trimming*
   Syn. de *dynamic trimming*

6. *a/d converter*
   Syn. de *analog-digital converter*

7. *adhesive strength*
   Syn. de *bond strength*

8. *air-abrasive*
jet abrasif n. m.
□ fabrication des microcircuits

9. *alignment*
alignement n. m.;
mise en concordance n. f.
□ fabrication des microcircuits

10. *alignment key*
motifs d'alignement n. m. pl.
□ fabrication des microcircuits

11. *alloy*
alliage n. m.
□ technologie de la fabrication des circuits hybrides

12. *ALU*
   Abrév. de *arithmetic logic unit*

13. *alumina aluminum oxide*
alumine n. f.
□ technologie de la fabrication des circuits hybrides

14. *analog circuit*
   Syn. de *analogue integrated circuit*

15. *analog-digital converter*
   V.o. *analog/digital converter*
   analog to digital converter;
   a/d converter;
   analog-to-digital converter
convertisseur analogique-numérique n. m.
Abrév. **CAN**
V.o. **convertisseur analogique/numérique** n. m.
□ circuit intégré

16. *analog to digital converter*
   Syn. de *analog-digital converter*

17. *analog-to-digital converter*
   Syn. de *analog-digital converter*

18. *analogue integrated circuit;*
   analog circuit;
   linear integrated circuit;
   linear circuit;
   linear IC
circuit intégré analogique n. m.;
circuit analogique n. m.;
circuit intégré linéaire n. m.;
CI linéaire n. m.
□ circuit intégré

19. *AND gate*
V.o. *AND-gate*
porte ET n. f.
□ conception des microcircuits

20. *angle of attack;*
attack angle
angle d'attaque n. m.;
angle d'incidence n. m.
□ fabrication des microcircuits

21. *annealing*
recuit n. m.
□ fabrication des microcircuits

22. *anodization*
anodisation n. f.
□ technologie de la fabrication des circuits hybrides

23. *Application Specific Integrated Circuit*
Abrév. *ASIC*
circuits intégrés à application spécifique n. m. pl.
Abrév. **CIAS**
Terme à éviter : ASIC
□ circuit intégré

24. *architectural design phase*
étude architecturale n. f.;
étude de l'architecture n. f.
□ conception des microcircuits

25. *arithmetic logic unit*
Abrév. *ALU*
unité logique et arithmétique n. f.
Abrév. **ULA**
unité arithmétique et logique n. f.;
UAL n. f.
□ conception des microcircuits

26. *array*
matrice n. f.
□ conception des microcircuits

27. *ASIC*
Abrév. de *Application Specific Integrated Circuit*

28. *aspect ratio*
rapport largeur/longueur n. m.
□ conception des microcircuits

29. *ATE*
Abrév. de *automatic test equipment*

30. *ATG*
Abrév. de *automatic test generation*

31. *attack angle*
Syn. de *angle of attack*

32. *automated routing*
Syn. de *automatic routing*

33. *automated test equipment*
Syn. de *automatic test equipment*

34. *automatic routing;*
automated routing
raccordement automatique n. m.
□ conception des microcircuits

35. *automatic test equipment*
Abrév. *ATE*
automated test equipment
équipement d'essai automatique n. m.;
équipement de vérification automatique n. m.;
EVA n. m.;
équipement de test automatique n. m.
□ fabrication des microcircuits

36. *automatic test generation*
Abrév. *ATG*
test vector generator
génération automatique de vecteurs de test n. f.;
génération des vecteurs de test n. f.
□ conception des microcircuits

B

37. *back bias*
polarisation du substrat n. f.
□ conception des microcircuits

38. *back bonding;*
back mounting
soudure par la face arrière n. f.;
soudure face arrière n. f.
□ technologie de la fabrication des circuits intégrés

39. *back mounting*
Syn. de *back bonding*

40. *bake out*
V.o. *bakeout*
étuvage n. m.
□ fabrication des microcircuits

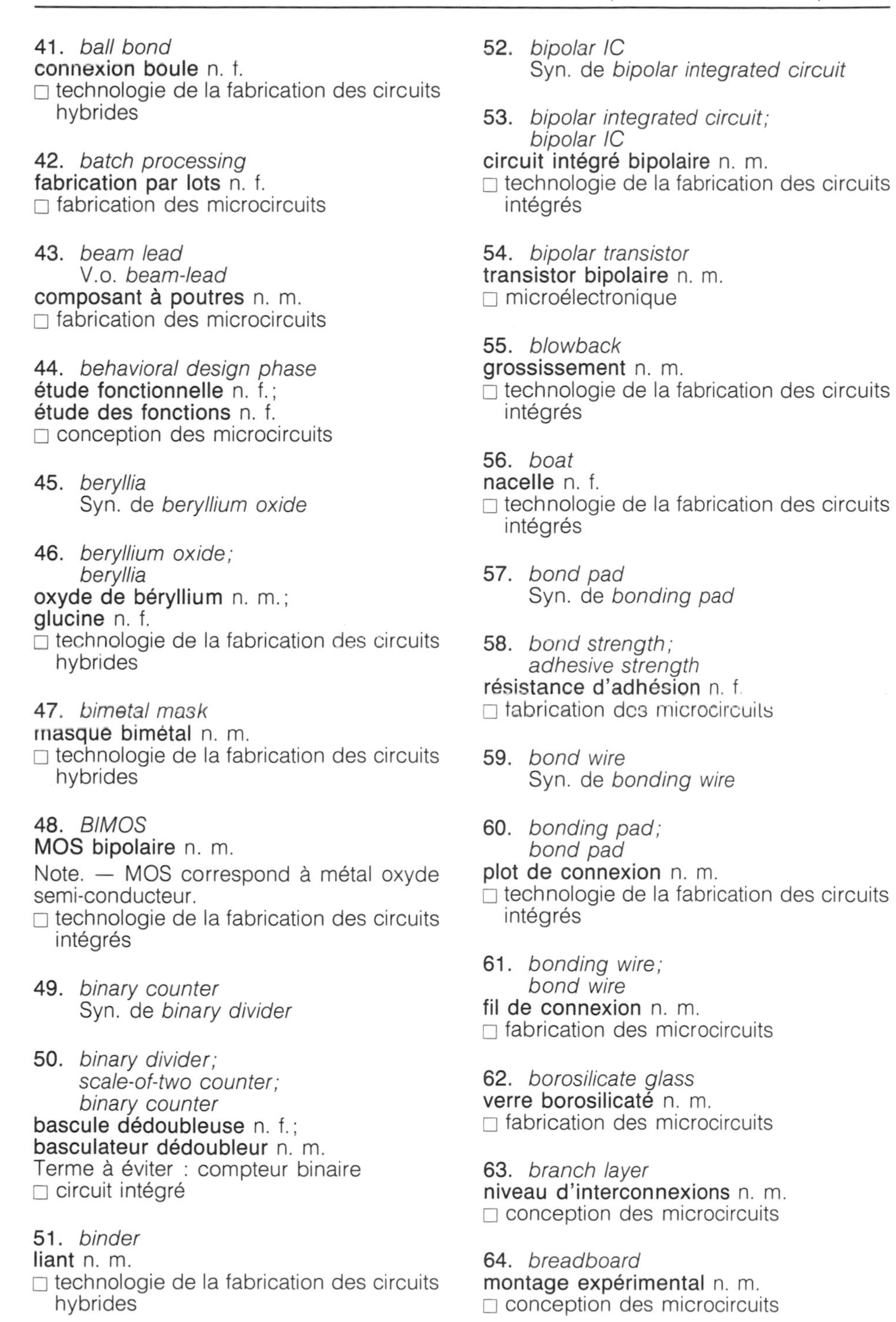

41. *ball bond*
connexion boule n. f.
□ technologie de la fabrication des circuits hybrides

42. *batch processing*
fabrication par lots n. f.
□ fabrication des microcircuits

43. *beam lead*
V.o. *beam-lead*
composant à poutres n. m.
□ fabrication des microcircuits

44. *behavioral design phase*
étude fonctionnelle n. f.;
étude des fonctions n. f.
□ conception des microcircuits

45. *beryllia*
Syn. de *beryllium oxide*

46. *beryllium oxide;*
beryllia
oxyde de béryllium n. m.;
glucine n. f.
□ technologie de la fabrication des circuits hybrides

47. *bimetal mask*
masque bimétal n. m.
□ technologie de la fabrication des circuits hybrides

48. *BIMOS*
MOS bipolaire n. m.
Note. — MOS correspond à métal oxyde semi-conducteur.
□ technologie de la fabrication des circuits intégrés

49. *binary counter*
Syn. de *binary divider*

50. *binary divider;*
scale-of-two counter;
binary counter
bascule dédoubleuse n. f.;
basculateur dédoubleur n. m.
Terme à éviter : compteur binaire
□ circuit intégré

51. *binder*
liant n. m.
□ technologie de la fabrication des circuits hybrides

52. *bipolar IC*
Syn. de *bipolar integrated circuit*

53. *bipolar integrated circuit;*
bipolar IC
circuit intégré bipolaire n. m.
□ technologie de la fabrication des circuits intégrés

54. *bipolar transistor*
transistor bipolaire n. m.
□ microélectronique

55. *blowback*
grossissement n. m.
□ technologie de la fabrication des circuits intégrés

56. *boat*
nacelle n. f.
□ technologie de la fabrication des circuits intégrés

57. *bond pad*
Syn. de *bonding pad*

58. *bond strength;*
adhesive strength
résistance d'adhésion n. f.
□ fabrication des microcircuits

59. *bond wire*
Syn. de *bonding wire*

60. *bonding pad;*
bond pad
plot de connexion n. m.
□ technologie de la fabrication des circuits intégrés

61. *bonding wire;*
bond wire
fil de connexion n. m.
□ fabrication des microcircuits

62. *borosilicate glass*
verre borosilicaté n. m.
□ fabrication des microcircuits

63. *branch layer*
niveau d'interconnexions n. m.
□ conception des microcircuits

64. *breadboard*
montage expérimental n. m.
□ conception des microcircuits

65. *buffer circuit*
porte de transfert n. f.;
circuit tampon n. m.
□ circuit intégré

66. *building block*
assemblage par blocs n. m.;
technique de construction par blocs n. f.
□ conception des microcircuits

67. *bulk conductance*
conductance interne n. f.
□ conception des microcircuits

68. *bump contact*
contact surélevé n. m.
□ fabrication des microcircuits

69. *buried layer*
couche enterrée n. f.
□ technologie de la fabrication des circuits intégrés

70. *burn-in*
rodage n. m.
□ fabrication des microcircuits

71. *burning*
Syn. de *firing*

72. *butting contact*
pont d'aluminium n. m.;
contact de jonction n. m.
□ conception des microcircuits

C

73. *CAD*
Abrév. de *computer aided design*

74. *camber*
cambrure n. f.
□ fabrication des microcircuits

75. *capacitor*
condensateur n. m.
□ microélectronique

76. *cathodic sputtering*
pulvérisation cathodique n. f.
□ technologie de la fabrication des circuits intégrés

77. *CCD*
Abrév. de *charge-coupled device*

78. *cell*
cellule n. f.;
cellule de mémoire n. f.
Note. — Le terme cellule s'applique à la fois au plus petit élément visible de la topologie d'un module (dans ce sens, synonyme de cellule de mémoire) et à l'élément de base effectuant des fonctions de logique ou d'arithmétique.
□ conception des microcircuits

79. *ceramic*
céramique n. f.
□ fabrication des microcircuits

80. *ceramic dual in-line package;*
cerdip package
boîtier céramique à double rangée de connexions n. m.
□ technologie de la fabrication des circuits intégrés

81. *cerdip package*
Syn. de *ceramic dual in-line package*

82. *cermet*
cermet n. m.
□ fabrication des microcircuits

83. *channel*
canal n. m.
□ circuit intégré

84. *channel routing*
voie de routage n. f.
□ conception des microcircuits

85. *charge-coupled device*
Abrév. *CCD*
V.o. *charge coupled device*
dispositif à transfert de charges n. m.
Abrév. **DTC**
circuit à couplage de charges n. m.
□ circuit intégré

86. *chemical vapor deposition*
V.o. *chemical-vapor deposition*
dépôt en phase vapeur n. m.;
dépôt par voie gazeuse n. m.
□ fabrication des microcircuits

87. *chip carrier*
V.o. *chip-carrier;*
boîtier pavé n. m.
Termes à éviter : chip carrier;
CC
□ technologie de la fabrication des circuits intégrés

88. *chip floorplan*
plan de masse n. m.
□ conception des microcircuits

89. *chip metallization*
métallisation de la puce n. f.
□ fabrication des microcircuits

90. *chopped bond;*
overbonding
raccordement imparfait n. m.
□ fabrication des microcircuits

91. *circuit simulation*
simulation des circuits n. f.
□ conception des microcircuits

92. *circulating register*
registre à circulation n. m.
□ circuit intégré

93. *clean room*
salle blanche n. f.;
salle propre n. f.;
salle hors poussière n. f.
□ fabrication des microcircuits

94. *clock*
horloge n. f.
□ conception des microcircuits

95. *clock generator*
générateur d'horloge n. m.
□ conception des microcircuits

96. *clocked gates*
portes synchronisées n. f. pl.
□ conception des microcircuits

97. *CMOS*
Abrév. de *complementary MOS*

98. *co-firing*
cuisson simultanée n. f.;
cocuisson n. f.
□ technologie de la fabrication des circuits hybrides

99. *combinational logic*
logique combinatoire n. f.
□ conception des microcircuits

100. *comparator*
comparateur n. m.
□ microcircuit

101. *comparing element*
comparateur n. m.
□ conception des microcircuits

102. *complementary metal-oxide semiconductor*
Syn. de *complementary MOS*

103. *complementary MOS*
Abrév. *CMOS*
complementary metal-oxide semiconductor
MOS complémentaires n. m. pl.
□ technologie de la fabrication des circuits intégrés

104. *composition*
Syn. de *ink*

105. *compound*
composé n. m.
□ fabrication des microcircuits

106. *computer aided design*
Abrév. *CAD*
V.o. *computer-aided design*
conception assistée par ordinateur n. f.
Abrév. **CAO**
□ conception des microcircuits

107. *conductor*
conducteur n. m.;
corps conducteur n. m.
□ microélectronique

108. *contact printing*
impression par contact n. f.
□ technologie de la fabrication des circuits intégrés

109. *control methodology*
ordonnancement des signaux de commande n. m.
□ conception des microcircuits

110. *converter*
convertisseur n. m.
□ circuit intégré

111. *critical path evaluation*
évaluation du chemin critique n. f.
□ conception des microcircuits

112. *crucible*
creuset n. m.
□ technologie de la fabrication des circuits intégrés

113. *custom circuit*
Syn. de *custom integrated circuit*

114. *custom IC*
Syn. de *custom integrated circuit*

115. *custom integrated circuit; full custom integrated circuit; custom circuit; custom IC*
circuit intégré personnalisé n. m.;
circuit intégré à la demande n. m.;
circuit à la demande n. m.;
circuit complet à la demande n. m.;
circuit client n. m.
□ circuit intégré

D

116. *D latch*
bascule à verrouillage D n. f.
□ circuit intégré

117. *DAC*
Abrév. de *digital to analog converter*

118. *decoder*
décodeur n. m.;
convertisseur parallèle-série n. m.
□ circuit intégré

119. *demodulator*
démodulateur n. m.
□ circuit intégré

120. *demultiplexer*
démultiplexeur n. m.
□ circuit intégré

121. *density*
densité n. f.
□ fabrication des microcircuits

122. *depletion*
appauvrissement n. m.
□ circuit intégré

123. *design rule checking*
Abrév. *DRC*
vérification des règles de dessin n. f.
Abrév. **VRD**
□ conception des microcircuits

124. *dewetting*
démouillage n. m.
□ fabrication des microcircuits

125. *diamond-edged circular saw*
scie circulaire diamantée n. f.
□ fabrication des microcircuits

126. *dicing*
découpage en dés n. m.
□ technologie de la fabrication des circuits intégrés

127. *die bond*
connexion de la puce n. f.
□ technologie de la fabrication des circuits intégrés

128. *dielectric*
diélectrique n. m.
□ fabrication des microcircuits

129. *diffusion*
diffusion n. f.
□ technologie de la fabrication des circuits intégrés

130. *diffusion drive-in step*
Syn. de *drive-in diffusion step*

131. *digital to analog converter*
Abrév. *DAC*
V.o. *digital-to-analog converter*
convertisseur numérique-analogique n. m.
Abrév. **CNA**
V.o. **convertisseur numérique/analogique** n. m.
□ circuit intégré

132. *DIL*
Abrév. de *dual-in-line package*

133. *DIL package*
Syn. de *dual-in-line package*

134. *diode*
diode n. f.
□ microélectronique

135. *diode-transistor logic*
Abrév. *DTL*
V.o. *diode-transistor-logic*
logique à diode et transistor n. f.
Abrév. **LDT**
logique diode-transistor n. f.
□ conception des microcircuits

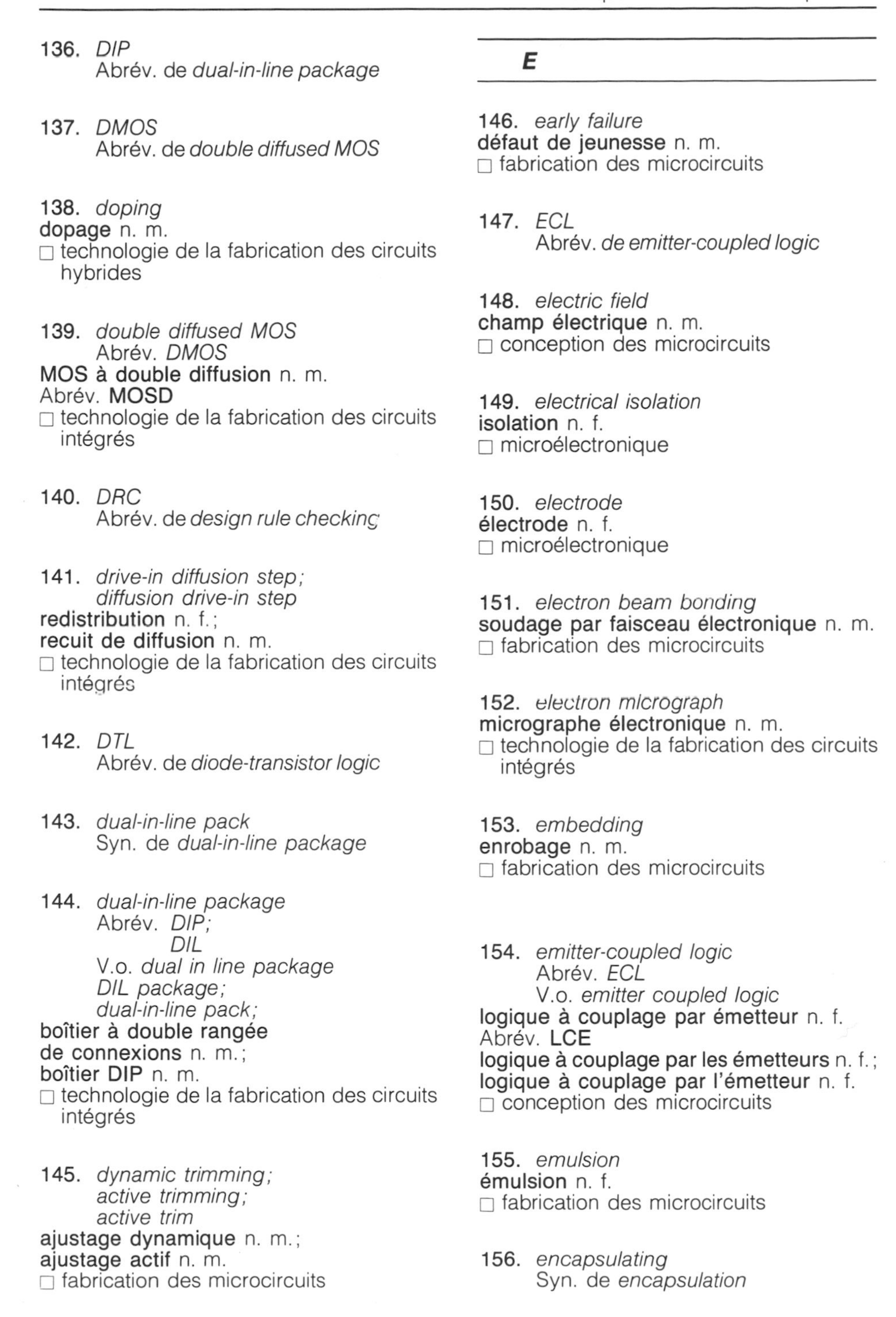

136. *DIP*
Abrév. de *dual-in-line package*

137. *DMOS*
Abrév. de *double diffused MOS*

138. *doping*
dopage n. m.
□ technologie de la fabrication des circuits hybrides

139. *double diffused MOS*
Abrév. *DMOS*
MOS à double diffusion n. m.
Abrév. **MOSD**
□ technologie de la fabrication des circuits intégrés

140. *DRC*
Abrév. de *design rule checking*

141. *drive-in diffusion step;*
diffusion drive-in step
redistribution n. f.;
recuit de diffusion n. m.
□ technologie de la fabrication des circuits intégrés

142. *DTL*
Abrév. de *diode-transistor logic*

143. *dual-in-line pack*
Syn. de *dual-in-line package*

144. *dual-in-line package*
Abrév. *DIP;*
DIL
V.o. *dual in line package*
DIL package;
dual-in-line pack;
boîtier à double rangée de connexions n. m.;
boîtier DIP n. m.
□ technologie de la fabrication des circuits intégrés

145. *dynamic trimming;*
active trimming;
active trim
ajustage dynamique n. m.;
ajustage actif n. m.
□ fabrication des microcircuits

E

146. *early failure*
défaut de jeunesse n. m.
□ fabrication des microcircuits

147. *ECL*
Abrév. de *emitter-coupled logic*

148. *electric field*
champ électrique n. m.
□ conception des microcircuits

149. *electrical isolation*
isolation n. f.
□ microélectronique

150. *electrode*
électrode n. f.
□ microélectronique

151. *electron beam bonding*
soudage par faisceau électronique n. m.
□ fabrication des microcircuits

152. *electron micrograph*
micrographe électronique n. m.
□ technologie de la fabrication des circuits intégrés

153. *embedding*
enrobage n. m.
□ fabrication des microcircuits

154. *emitter-coupled logic*
Abrév. *ECL*
V.o. *emitter coupled logic*
logique à couplage par émetteur n. f.
Abrév. **LCE**
logique à couplage par les émetteurs n. f.;
logique à couplage par l'émetteur n. f.
□ conception des microcircuits

155. *emulsion*
émulsion n. f.
□ fabrication des microcircuits

156. *encapsulating*
Syn. de *encapsulation*

157. *encapsulation;*
encapsulating
encapsulation n. f.;
encapsulage n. m.;
encapsulement n. m.
□ fabrication des microcircuits

158. *encoder*
encodeur n. m.
□ circuit intégré

159. *enhancement*
enrichissement n. m.
□ circuit intégré

160. *epitaxy*
épitaxie n. f.
□ technologie de la fabrication des circuits intégrés

161. *etched metal mask*
masque de métal gravé n. m.
□ technologie de la fabrication des circuits hybrides

162. *etching*
attaque chimique n. f.
□ fabrication des microcircuits

163. *eutectic*
eutectique adj.
□ technologie de la fabrication des circuits intégrés

164. *EXOR gate;*
XOR gate
porte OU exclusif n. f.
□ conception des microcircuits

F

165. *face bonding*
soudure par la face avant n. f.;
soudure face avant n. f.
□ technologie de la fabrication des circuits intégrés

166. *F.E.T.*
Abrév. de *field-effect transistor*

167. *field-effect transistor*
Abrév. *F.E.T.*
transistor à effet de champ n. m.
Abrév. **TEC**
Note. — Les transistors à effet de champ comprennent les MOS, les TEC à jonction et les TEC Schottky.
□ microélectronique

168. *film*
couche n. f.
□ fabrication des microcircuits

169. *film resistor*
Syn. de *sheet resistance*

170. *firing;*
burning
cuisson n. f.
□ fabrication des microcircuits

171. *flip chip*
V.o. *flip-chip*
composant à surépaisseur à retournement n. m.;
composant à retournement n. m.
□ fabrication des microcircuits

172. *flip-flop*
bascule n. f.;
bistable n. m.;
bascule bistable n. f.
□ circuit intégré

173. *footprint*
empreinte des plots n. f.
□ technologie de la fabrication des circuits intégrés

174. *formier gas*
Syn. de *forming gas*

175. *forming gas;*
formier gas
mélange hydrogène-azote n. m.
□ technologie de la fabrication des circuits intégrés

176. *free-running multivibrator*
multivibrateur à oscillations libres n. m.;
multivibrateur astable n. m.
□ conception des microcircuits

177. *frequency counter*
compteur de fréquence n. m.
□ conception des microcircuits

178. *frit*
fritte n. f.
□ technologie de la fabrication des circuits hybrides

179. *full adder*
V.o. *full-adder*
additionneur complet n. m.
Abrév. **ADDC**
plein additionneur n. m.
□ conception des microcircuits

180. *full custom integrated circuit*
Syn. de *custom integrated circuit*

181. *full subtractor*
soustracteur complet n. m.
□ conception des microcircuits

G

182. *gallium arsenide*
arséniure de gallium n. m.;
AsGa n. m.
□ technologie de la fabrication des circuits intégrés

183. *gate*
porte n. f.
Note. — Les portes sont les éléments fondamentaux de la logique électronique.
□ conception des microcircuits

184. *gate*
grille n. f.
Note. — Ce terme désigne l'électrode de commande des transistors unipolaires.
□ conception des microcircuits

185. *gate*
gâchette n. f.
Note. — La gâchette est une électrode de commande pour le fonctionnement des diodes à jonction.
□ conception des microcircuits

186. *gate array*
V.o. *gate-array*
circuit prédiffusé n. m.;
prédiffusé n. m.
□ circuit intégré

187. *glassivation*
vitrification n. f.;
glassivation n. f.
□ fabrication des microcircuits

188. *glaze*
glaçure n. f.
□ technologie de la fabrication des circuits hybrides

189. *grain growth*
croissance du grain n. f.
□ technologie de la fabrication des circuits intégrés

190. *Gray code counter*
V.o. *Gray-code counter*
compteur en code Gray n. m.
□ conception des microcircuits

H

191. *hard-wired logic*
logique câblée n. f.
□ conception des microcircuits

192. *hardening*
durcissement n. m.
□ fabrication des microcircuits

193. *HIC*
Abrév. de *hybrid integrated circuit*

194. *high-density metal oxide semiconductor*
Syn. de *high-performance MOS*

195. *high-performance MOS*
Abrév. *HMOS*
V.o. *high-performance M.O.S.*
high-density metal oxide semiconductor;
high-speed MOS
MOS à haute performance n. m.;
M.O.S. à haut rendement n. m.
□ technologie de la fabrication des circuits intégrés

196. *high-speed MOS*
Syn. de *high-performance MOS*

197. *HMOS*
Abrév. de *high-performance MOS*

198. *hole*
trou n. m.;
lacune n. f.
□ technologie de la fabrication des circuits intégrés

199. *hybrid circuit*
Syn. de *hybrid integrated circuit*

200. *hybrid integrated circuit*
Abrév. *HIC*
hybrid circuit;
hybrid microcircuit
circuit intégré hybride n. m.
Abrév. **CIH**
circuit hybride n. m.;
microcircuit hybride n. m.
□ circuit hybride

201. *hybrid microcircuit*
Syn. de *hybrid integrated circuit*

I

202. *IC*
Abrév. de *integrated circuit*

203. *II*
Abrév. de *ion implantation*

204. *ILD*
Syn. de *laser diode*

205. *impurity*
impureté n. f.
□ technologie de la fabrication des circuits intégrés

206. *inductor*
inductance n. f.
□ microélectronique

207. *infant mortality*
mortalité infantile n. f.
□ fabrication des microcircuits

208. *infrared-emitting diode*
diode infrarouge n. f.
□ circuit intégré

209. *ingot growth*
croissance d'un lingot n. f.
□ technologie de la fabrication des circuits intégrés

210. *injection laser diode*
Syn. de *laser diode*

211. *ink;*
composition;
paste
pâte n. f.;
encre n. f.
□ technologie de la fabrication des circuits hybrides

212. *input*
entrée n. f.
□ conception des microcircuits

213. *insulator*
isolant n. m.
□ fabrication des microcircuits

214. *integrated circuit*
Abrév. *IC*
circuit intégré n. m.
Abrév. **CI**
Note. — Le circuit intégré fait appel aux technologies bipolaire et MOS (métal oxyde semi-conducteur).
□ circuit intégré

215. *integrated injection logic*
Abrév. *I^2 L*
logique à injection intégrée n. f.;
logique intégrée à injection n. f.;
logique à injection de courant n. f.
□ conception des microcircuits

216. *integrating amplifier*
amplificateur intégrateur n. m.
□ conception des microcircuits; circuit intégré

217. *interconnection*
interconnexion n. f.
□ fabrication des microcircuits

218. *intracell wiring*
raccordement intracellulaire n. m.
□ conception des microcircuits

219. *inverter*
Syn. de *NOT gate*

220. *ion-beam etching;*
ion milling;
sputter etching;
sputtering;
ion beam sputtering
gravure ionique n. f.;
gravure par rayonnement ionique n. f.
□ technologie de la fabrication des circuits intégrés

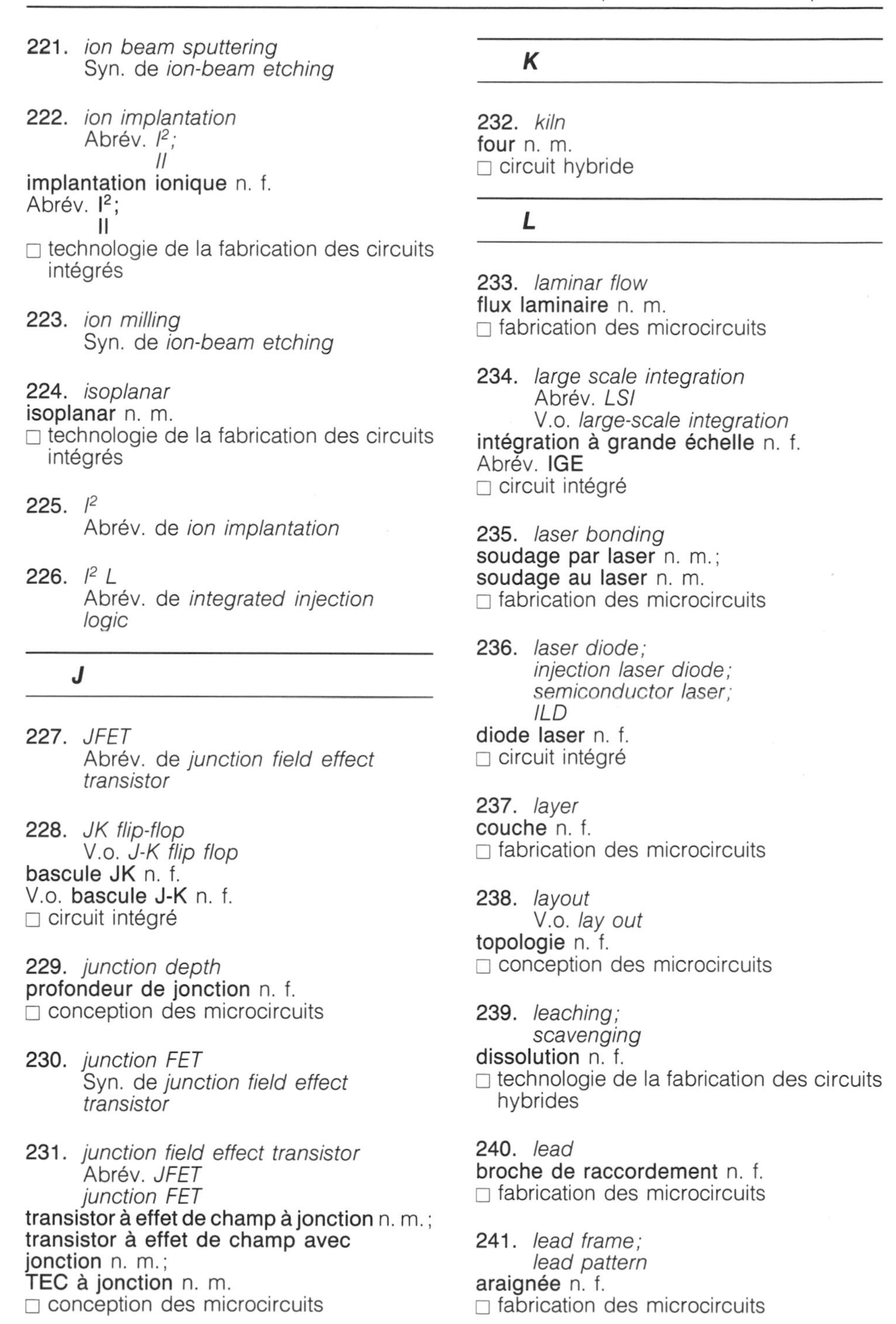

221. *ion beam sputtering*
Syn. de *ion-beam etching*

222. *ion implantation*
Abrév. *I^2;*
II
implantation ionique n. f.
Abrév. **I^2**;
II
□ technologie de la fabrication des circuits intégrés

223. *ion milling*
Syn. de *ion-beam etching*

224. *isoplanar*
isoplanar n. m.
□ technologie de la fabrication des circuits intégrés

225. *I^2*
Abrév. de *ion implantation*

226. *I^2 L*
Abrév. de *integrated injection logic*

J

227. *JFET*
Abrév. de *junction field effect transistor*

228. *JK flip-flop*
V.o. *J-K flip flop*
bascule JK n. f.
V.o. **bascule J-K** n. f.
□ circuit intégré

229. *junction depth*
profondeur de jonction n. f.
□ conception des microcircuits

230. *junction FET*
Syn. de *junction field effect transistor*

231. *junction field effect transistor*
Abrév. *JFET*
junction FET
transistor à effet de champ à jonction n. m.;
transistor à effet de champ avec jonction n. m.;
TEC à jonction n. m.
□ conception des microcircuits

K

232. *kiln*
four n. m.
□ circuit hybride

L

233. *laminar flow*
flux laminaire n. m.
□ fabrication des microcircuits

234. *large scale integration*
Abrév. *LSI*
V.o. *large-scale integration*
intégration à grande échelle n. f.
Abrév. **IGE**
□ circuit intégré

235. *laser bonding*
soudage par laser n. m.;
soudage au laser n. m.
□ fabrication des microcircuits

236. *laser diode;*
injection laser diode;
semiconductor laser;
ILD
diode laser n. f.
□ circuit intégré

237. *layer*
couche n. f.
□ fabrication des microcircuits

238. *layout*
V.o. *lay out*
topologie n. f.
□ conception des microcircuits

239. *leaching;*
scavenging
dissolution n. f.
□ technologie de la fabrication des circuits hybrides

240. *lead*
broche de raccordement n. f.
□ fabrication des microcircuits

241. *lead frame;*
lead pattern
araignée n. f.
□ fabrication des microcircuits

242. *lead pattern*
Syn. de *lead frame*

243. *leakage current*
courant de fuite n. m.
□ microélectronique

244. *LED*
Abrév. de *light-emitting diode*

245. *light activated SCR*
redresseur à gâchette optique n. m.;
thyristor activé par la lumière n. m.
□ circuit intégré

246. *light-emitting diode*
Abrév. *LED*
V.o. *light emitting diode*
diode électroluminescente n. f.;
Abrév. **DEL**
V.o. **diode électro-luminescente** n. f.
luminodiode n. f.;
diode photoémissive n. f.
□ circuit intégré

247. *light-sensitive cell*
Syn. de *photodetector*

248. *light-sensitive detector*
Syn. de *photodetector*

249. *light sensor photodevice*
Syn. de *photodetector*

250. *linear circuit*
Syn. de *analogue integrated circuit*

251. *linear IC*
Syn. de *analogue integrated circuit*

252. *linear integrated circuit*
Syn. de *analogue integrated circuit*

253. *logic circuit*
circuit logique n. m.
□ circuit intégré

254. *logic diagram*
schéma logique n. m.
□ conception des microcircuits

255. *LSI*
Abrév. de *large scale integration*

M

256. *mask;*
photo-mask
masque n. m.;
masque photographique n. m.
Note. — D'une part, le masque est utilisé dans les étapes de diffusion, d'oxydation et de métallisation et, d'autre part, comme support servant à délimiter les zones soumises à une opération de type photogravure (dans ce dernier sens, il est synonyme de masque photographique).
□ fabrication des microcircuits

257. *mask aligner;*
mask alignment machine
machine d'alignement de masque n. f.
□ technologie de la fabrication des circuits intégrés

258. *mask alignment machine*
Syn. de *mask aligner*

259. *master-slave flip-flop*
bascule maître-esclave n. f.;
bascule principale-asservie n. f.
□ circuit intégré

260. *master-slice*
circuit mosaïque n. m.
□ conception des microcircuits

261. *medium scale integration*
Abrév. *MSI*
V.o. *medium-scale integration*
medium size integration
intégration à moyenne échelle n. f.
Abrév. **IME**
intégration à échelle moyenne n. f.
□ circuit intégré

262. *medium size integration*
Syn. de *medium scale integration*

263. *memory*
mémoire n. f.
□ conception des microcircuits

264. *metal bridging*
pontage métallique n. m.
□ technologie de la fabrication des circuits intégrés

265. *metallization*
V.o. *metalization*
métallisation n. f.
□ technologie de la fabrication des circuits intégrés

266. *microcircuit*
microcircuit n. m.
□ microcircuit

267. *microelectronics*
microélectronique n. f.
V.o. **micro-électronique** n. f.
□ microélectronique

268. *microprocessor*
microprocesseur n. m.
□ microcircuit

269. *modem*
modem n. m.
□ circuit intégré

270. *modulator*
modulateur n. m.
□ circuit intégré

271. *monostable multivibrator;*
monostable trigger;
one-shot multivibrator;
single-shot multivibrator;
start-stop multivibrator;
univibrator;
monostable MV
multivibrateur monostable n. m.;
MV monostable n. m.
□ circuit intégré

272. *monostable MV*
Syn. de *monostable multivibrator*

273. *monostable trigger*
Syn. de *monostable multivibrator*

274. *MPX*
Abrév. de *multiplexer*

275. *MSI*
Abrév. de *medium scale integration*

276. *multiplexer*
Abrév. *MPX;*
MUX
V.o. *multiplexor*
multiplexeur n. m.
□ circuit intégré

277. *multiplier*
multiplieur n. m.
□ circuit intégré

278. *multivibrator*
multivibrateur n. m.
□ circuit intégré

279. *MUX*
Abrév. de *multiplexer*

N

280. *n-channel MOS*
Abrév. *NMOS*
MOS à canal N n. m.
Abrév. **MOSN**
semi-conducteur à oxyde de métal à canal N n. m.
□ technologie de la fabrication des circuits intégrés

281. *n-well*
puits n n. m.
□ technologie de la fabrication des circuits intégrés

282. *NAND*
Syn. de *NAND gate*

283. *NAND gate;*
NAND
porte NON-ET n. f.;
porte ET.NON n. f.
□ conception des microcircuits

284. *net list formatting*
mise en forme de la liste d'interconnexions n. f.
□ conception des microcircuits

285. *NMOS*
Abrév. de *n-channel MOS*

286. *NOR*
Syn. de *NOR gate*

287. *NOR gate;*
NOR;
porte NON-OU n. f.;
porte NI n. f.;
porte OU-NON n. f.
□ conception des microcircuits

288. *NOT gate;*
inverter
porte NON n. f.;
inverseur n. m.
□ conception des microcircuits

O

289. *one-shot multivibrator*
Syn. de *monostable multivibrator*

290. *op amp*
Abrév. de *operational amplifier*

291. *operational amplifier*
Abrév. *op amp*
amplificateur opérationnel n. m.;
ampli op n. m.
□ circuit intégré

292. *operator*
opérateur n. m.
□ microélectronique

293. *optical coupler;*
optocoupler;
optoisolator;
photocoupler
optocoupleur n. m.;
coupleur optique n. m.
□ circuit intégré

294. *optocoupler*
Syn. de *optical coupler*

295. *optoisolator*
Syn. de *optical coupler*

296. *OR gate*
porte OU n. f.
□ conception des microcircuits

297. *output*
sortie n. f.
□ conception des microcircuits

298. *overbonding*
Syn. de *chopped bond*

299. *overlap;*
overlapping
chevauchement n. m.
□ conception des microcircuits

300. *overlapping*
Syn. de *overlap*

301. *overlay*
recouvrement n. m.
□ fabrication des microcircuits

302. *oxidation*
V.o. *oxydation (GB)*
oxydation n. f.
□ technologie de la fabrication des circuits intégrés

303. *oxidation furnace*
V.o. *oxydation furnace*
four à oxydation n. m.
□ technologie de la fabrication des circuits intégrés

P

304. *p-channel MOS*
Abrév. *PMOS*
MOS à canal P n. m.
Abrév. **MOSP**
semi-conducteur à oxyde de métal à canal P n. m.
□ technologie de la fabrication des circuits intégrés

305. *p-well*
puits p n. m.
□ technologie de la fabrication des circuits intégrés

306. *package*
boîtier n. m.
□ fabrication des microcircuits

307. *package cap*
couvercle encavé n. m.;
capot n. m.
□ fabrication des microcircuits

308. *package lid*
couvercle plat n. m.
□ fabrication des microcircuits

309. *pad*
plot de connexion n. m.;
plage de connexion n. f.
□ technologie de la fabrication des circuits intégrés

310. *parallel-in-serial-out converter*
convertisseur entrée parallèle-sortie série n. m.
□ circuit intégré

311. *passivation*
passivation n. f.
□ fabrication des microcircuits

312. *paste*
Syn. de *ink*

313. *pattern*
configuration n. f.
□ conception des microcircuits

314. *pattern*
motif n. m.
□ conception des microcircuits

315. *pattern generation*
photocomposition n. f.
□ technologie de la fabrication des circuits intégrés

316. *patterning*
modelage des contours n. m.
□ technologie de la fabrication des circuits intégrés

317. *photo-mask*
Syn. de *mask*

318. *photocoupler*
Syn. de *optical coupler*

319. *photodetector;*
light-sensitive cell;
light-sensitive detector;
light sensor photodevice;
photoelectric detector;
photosensor
photodétecteur n. m.
□ circuit intégré

320. *photoelectric detector*
Syn. de *photodetector*

321. *photoetching*
photogravure n. f.
□ technologie de la fabrication des circuits intégrés

322. *photorepeator*
photorépéteur n. m.
□ technologie de la fabrication des circuits hybrides

323. *photoresist*
V.o. *photo-resist*
résine photosensible n. f.;
vernis photosensible n. m.;
laque photosensible n. f.;
photorésine n. f.
□ fabrication des microcircuits

324. *photosensor*
Syn. de *photodetector*

325. *piggy back*
superposition n. f.
□ fabrication des microcircuits

326. *pinhole*
trou d'épingle n. m.;
microperforation n. f.
□ fabrication des microcircuits

327. *pits*
piqûres n. f. pl.
□ fabrication des microcircuits

328. *PLA*
Abrév. de *programmable logic array*

329. *planar technique*
procédé planar n. m.
Note. — Le procédé planar, créé par la Société Fairchild, est un nom déposé.
□ technologie de la fabrication des circuits intégrés

330. *planetary*
planétaire n. m.
□ technologie de la fabrication des circuits intégrés

331. *plasma-etching*
V.o. *plasma etching*
gravure par plasma n. f.;
gravure au plasma n. f.
□ technologie de la fabrication des circuits intégrés

332. *plastic dual-in-line package*
boîtier plastique à double rangée de connexions n. m.
□ technologie de la fabrication des circuits intégrés

333. *PMOS*
Abrév. de *p-channel MOS*

334. *polishing*
polissage n. m.
□ technologie de la fabrication des circuits intégrés

335. *postbaking*
postcuisson n. f.
□ technologie de la fabrication des circuits intégrés

336. *potting*
remplissage n. m.
□ fabrication des microcircuits

337. *presettable counter*
compteur préréglable n. m.
□ circuit intégré

338. *priority encoder*
codeur de priorité n. m.
□ circuit intégré

339. *probe*
pointe n. f.
□ fabrication des microcircuits

340. *probing*
contrôle électrique sous pointes n. m.
□ fabrication des microcircuits

341. *programmable logic array*
Abrév. *PLA*
réseau logique programmable n. m.
Abrév. **RLP**
□ conception des microcircuits

Q

342. *QIL*
Abrév. de *quad-in-line package*

343. *quad-in-line package*
Abrév. *QIL;*
QUIL;
QUIP
QUIL package
boîtier à quadruple rangée de connexions n. m.;
boîtier à quatre rangées de connexions n. m.
□ technologie de la fabrication des circuits intégrés

344. *QUIL*
Abrév. de *quad-in-line package*

345. *QUIL package*
Syn. de *quad-in-line package*

346. *QUIP*
Abrév. de *quad-in-line package*

R

347. *RALU*
Abrév. de *register and arithmetic and logic unit*

348. *reflow soldering*
soudage par refusion n. m.
□ fabrication des microcircuits

349. *register*
registre n. m.
□ conception des microcircuits

350. *register and arithmetic and logic unit*
Abrév. *RALU*
unité logique et arithmétique avec registres n. f.
Abrév. **ULAR**
□ conception des microcircuits

351. *registration*
positionnement n. m.
□ fabrication des microcircuits

352. *resistor*
résistance n. f.
□ microélectronique

353. *resistor-transistor logic*
Abrév. *RTL*
logique résistance-transistor n. f.;
logique à résistance et transistor n. f.
□ conception des microcircuits

354. *reticle*
réticule n. m.;
épure n. f.
□ fabrication des microcircuits

355. *rework*
réusinage n. m.;
remise en fabrication n. f.
□ fabrication des microcircuits

356. *ring counter*
compteur annulaire n. m.;
compteur en boucle fermée n. m.
□ conception des microcircuits

357. *ripple counter*
compteur en cascade n. m.
□ conception des microcircuits

358. *routing*
routage n. m.
□ conception des microcircuits

359. *RS flip-flop;*
set-reset flip-flop
bascule RS n. f.;
bascule de mise à 0-1 n. f.;
bascule 0-1 n. f.
□ circuit intégré

360. *RTL*
Abrév. de *resistor-transistor logic*

361. *runout*
déformation dimensionnelle n. f.
□ fabrication des microcircuits

S

362. *scale-of-two counter*
Syn. de *binary divider*

363. *scaling*
écaillage n. m.
□ technologie de la fabrication des circuits hybrides

364. *scavenging*
Syn. de *leaching*

365. *schematic circuit diagram*
Syn. de *schematic diagram*

366. *schematic diagram;*
schematic circuit diagram
schéma des circuits n. m.
□ conception des microcircuits

367. *Schmitt trigger*
V.o. *Schmitt-trigger*
Schmitt trigger circuit
bascule de Schmitt n. f.;
circuit à déclenchement de Schmitt n. m.
□ conception des microcircuits

368. *Schmitt trigger circuit*
Syn. de *Schmitt trigger*

369. *scribe channel*
Syn. de *scribe line*

370. *scribe line;*
scribe channel
chemin de découpe n. m.
□ technologie de la fabrication des circuits intégrés

371. *scribing*
découpage n. m.
□ technologie de la fabrication des circuits intégrés

372. *scrubber*
nettoyeur de plaquettes n. m.
□ technologie de la fabrication des circuits intégrés

373. *scrubbing action*
frottage n. m.
□ technologie de la fabrication des circuits intégrés

374. *seed*
germe n. m.;
germe cristallin n. m.
□ technologie de la fabrication des circuits intégrés

375. *semi-custom integrated circuit;*
semicustom IC
circuit intégré semi-personnalisé n. m.;
semi-spécifique n. m.
□ circuit intégré

376. *semiconductor laser*
Syn. de *laser diode*

377. *semicustom IC*
Syn. de *semi-custom integrated circuit*

378. *serial counter*
compteur série n. m.
□ conception des microcircuits

379. *serial-in-parallel-out converter*
convertisseur entrée série-sortie parallèle n. m.
□ circuit intégré

380. *set of masks*
jeu de masques n. m.
□ fabrication des microcircuits

381. *set-reset flip-flop*
Syn. de *RS flip-flop*

382. *sheet resistance;*
sheet resistivity;
film resistor
résistance de couche n. f.;
résistance à couche n. f.
□ fabrication des microcircuits

383. *sheet resistivity*
Syn. de *sheet resistance*

384. *shift register*
registre à décalage n. m.
Note. — Il existe deux sortes de registres à décalage, un qui est synchrone et l'autre asynchrone.
□ conception des microcircuits

385. *silicon*
silicium n. m.
Note. — En français, il ne faut pas confondre le silicium avec le silicone qui est un composé dérivé du pétrole.
□ technologie de la fabrication des circuits intégrés

386. *silicon compiler*
compilateur de silicium n. m.
□ conception des microcircuits

387. *silicon foundry*
fonderie de silicium n. f.
□ technologie de la fabrication des circuits intégrés

388. *silicon gate*
grille silicium n. f.
□ technologie de la fabrication des circuits intégrés

389. *silicon-on-sapphire*
Abrév. *SOS*
silicium sur saphir n. m.
Abrév. **SSS;**
S.S.
□ technologie de la fabrication des circuits intégrés

390. *single-crystal silicon*
silicium monocristallin n. m.
□ fabrication des microcircuits

391. *single-shot multivibrator*
Syn. de *monostable multivibrator*

392. *sintering*
frittage n. m.
□ technologie de la fabrication des circuits hybrides

393. *small scale integration*
Abrév. *SSI*
V.o. *small-scale integration*
intégration à petite échelle n. f.
Abrév. **IPE**
intégration à faible échelle n. f.;
intégration à format simple n. f.
□ circuit intégré

394. *softbaking*
cuisson lente n. f.
□ technologie de la fabrication des circuits intégrés

395. *SOS*
Abrév. *de silicon-on-sapphire*

396. *spacing*
écartement n. m.;
espacement n. m.
□ conception des microcircuits

397. *SPICE*
simulateur SPICE n. m.;
SPICE n. m.
Note. — SPICE correspond à *Simulation Program with Integrated Circuit Emphasis*.
□ conception des microcircuits

398. *spider bonding*
soudage en pattes d'araignée n. m.
□ fabrication des microcircuits

399. *spin coating*
revêtement par centrifugation n. m.
□ technologie de la fabrication des circuits intégrés

400. *spray coating*
revêtement par pulvérisation n. m.
□ technologie de la fabrication des circuits hybrides

401. *sputter etching*
Syn. de *ion-beam etching*

402. *sputtering*
Syn. de *ion-beam etching*

403. *sputtering*
pulvérisation n. f.
□ fabrication des microcircuits

404. *squeegee*
raclette n. f.
□ technologie de la fabrication des circuits hybrides

405. *SSI*
Abrév. *de small scale integration*

406. *standard cell*
circuit précaractérisé n. m.;
précaractérisé n. m.
□ conception des microcircuits

407. *standard integrated circuit*
circuit catalogue n. m.;
circuit standard n. m.
□ circuit intégré

408. *start-stop multivibrator*
Syn. de *monostable multivibrator*

409. *step and repeat*
V.o. *step-and-repeat*
reproduction pas à pas n. f.;
procédé à photo-répétition n. m.;
photo-duplication n. f.
□ fabrication des microcircuits

410. *stick diagram*
schéma squelettisé n. m.;
implantation symbolique bâton n. f.
□ conception des microcircuits

411. *strip-line circuit*
circuit sur feuille n. m.
□ fabrication des microcircuits

412. *stripper*
décapant n. m.
□ technologie de la fabrication des circuits intégrés

413. *strobe*
impulsion d'échantillonnage n. f.
□ conception des microcircuits

414. *substrate*
substrat n. m.
Note. — Le substrat désigne plus généralement le support sur lequel est réalisé un microcircuit.
□ fabrication des microcircuits

T

415. *T.A.B.*
Abrév. de *tape automated bonding*

416. *T flip-flop*
bascule T n. f.
□ circuit intégré

417. *tape automated bonding*
Abrév. *T.A.B.*
transfert automatique sur bande n. m.
Abrév. **TAB**
□ fabrication des microcircuits

418. *TC*
Abrév. de *thermocompression bonding*

419. *temperature cycling*
cycle de température n. m.
□ fabrication des microcircuits

420. *test vector generator*
Syn. de *automatic test generation*

421. *testability*
testabilité n. f.;
aptitude aux essais n. f.
□ conception des microcircuits

422. *thermal diffusion*
diffusion thermique n. f.
□ technologie de la fabrication des circuits intégrés

423. *thermal flow*
flux thermique n. m.
□ fabrication des microcircuits

424. *thermocompression bonding*
Abrév. *TC*
soudage par thermocompression n. m.
□ fabrication des microcircuits

425. *thick film*
couche épaisse n. f.
Note. — Cette couche consiste en un revêtement de composant se situant autour de 10 microns ou plus.
□ fabrication des microcircuits

426. *thick film hybrid*
Syn. de *thick-film hybrid circuit*

427. *thick-film hybrid circuit;*
thick film hybrid
circuit hybride à couches épaisses n. m.;
hybride à couches épaisses n. m.
□ circuit hybride

428. *thin film*
couche mince n. f.
Note. — Cette couche consiste en un revêtement de composant de l'ordre de grandeur du micron.
□ fabrication des microcircuits

429. *thin film deposition*
dépôt de couches minces n. m.
□ fabrication des microcircuits

430. *thin film hybrid*
circuit hybride à couches minces n. m.
□ circuit hybride

431. *threshold*
seuil n. m.;
point de commutation n. m.
□ circuit intégré

432. *timing analysis*
analyse de la synchronisation n. f.
□ conception des microcircuits

433. *timing cycle*
temps de transition n. m.
□ conception des microcircuits

434. *timing diagram*
chronogramme n. m.;
diagramme de phase des signaux n. m.
□ conception des microcircuits

435. *tip*
pointe n. f.
□ fabrication des microcircuits

436. *transistor*
transistor n. m.
□ microélectronique

437. *transistor-transistor logic*
Abrév. *T^2L;*
TTL
logique transistor-transistor n. f.
Abrév. **LTT**
logique à transistors et transistors n. f.
□ conception des microcircuits

438. *transit time*
temps de transfert n. m.
□ conception des microcircuits

439. *troubleshooting*
dépannage n. m.
□ microélectronique

440. *TTL*
Abrév. de *transistor-transistor logic*

441. *T^2L*
Abrév. de *transistor-transistor logic*

U

442. *ULSI*
Abrév. de *ultra large scale integration*

443. *ultra large scale integration*
Abrév. *ULSI*
intégration à ultra-grande échelle n. f.
Abrév. **IUGE**
Terme à éviter : intégration ULSI
□ circuit intégré

444. *ultrasonic bonding*
soudage par ultrasons n. m.;
soudage aux ultrasons n. m.
□ fabrication des microcircuits

445. *univibrator*
Syn. de *monostable multivibrator*

446. *up-counter*
compteur n. m.
□ conception des microcircuits

V

447. *vacuum deposition;*
vapor deposition;
vapor evaporation
dépôt par évaporation sous vide n. m.
□ fabrication des microcircuits

448. *vacuum pickup*
pipette n. f.
□ fabrication des microcircuits

449. *vapor deposition*
Syn. de *vacuum deposition*

450. *vapor evaporation*
Syn. de *vacuum deposition*

451. *vertical MOS*
Abrév. *VMOS*
MOS vertical n. m.
Abrév. **MOSV**
□ technologie de la fabrication des circuits intégrés

452. *very large scale integration*
Abrév. *VLSI*
V.o. *very-large scale integration*
intégration à très grande échelle n. f.
Abrév. **ITGE**
□ circuit intégré

453. *via hole*
trou de raccordement n. m.
□ fabrication des microcircuits

454. *VLSI*
Abrév. de *very large scale integration*

455. *VMOS*
Abrév. de *vertical MOS*

W

456. *wafer*
tranche n. f.;
rondelle n. f.;
plaquette n. f.
□ technologie de la fabrication des circuits intégrés

457. *wafer chuck*
support individuel de tranche n. m.
□ technologie de la fabrication des circuits intégrés

458. *warpage*
gauchissement n. m.
□ fabrication des microcircuits

459. *wetting*
mouillage n. m.
□ fabrication des microcircuits

460. *window*
fenêtre n. f.
□ fabrication des microcircuits

461. *wire bond*
Syn. de *wire bonding*

462. *wire bonding;*
wire bond
soudure de fils n. f.
□ fabrication des microcircuits

463. *writing gun*
canon d'inscription n. m.
□ fabrication des microcircuits

X

464. *XOR gate*
Syn. de *EXOR gate*

Y

465. *yield*
rendement n. m.
□ fabrication des microcircuits

Z

466. *zone melting*
V.o. *zone-melting*
fusion de zone n. f.
□ technologie de la fabrication des circuits intégrés

467. *zone refining*
purification par zone n. f.
□ technologie de la fabrication des circuits intégrés

Index des termes français

A

B

C

D

E

F

G

H

I

J

L

M

N

O

P

R

S

T

U

V

Bibliographie

L'Actualité terminologique, mensuel, Ottawa, Bureau des traductions, vol. 1, nº 1, janv. 1968- .

ASSOCIATION FRANÇAISE DE NORMALISATION. *Revêtements non organiques des métaux: émail pour revêtements sur métaux, termes et définitions,* Paris, Afnor, 1977, 5 p. (Norme française homologuée, NF A 92-010)

ASSOCIATION FRANÇAISE DE NORMALISATION. *Traitement de l'information: vocabulaire. Chapitre 11: organes de commande, d'entrée-sortie et de calcul,* Paris, Afnor, 1973, 10, XIV p. (Fascicule de documentation, NF Z 61-011)

ASSOCIATION FRANÇAISE DE NORMALISATION. *Traitement de l'information: vocabulaire complémentaire expérimental,* Paris, Afnor, 1980, 94 p. (Norme expérimentale, NF Z 61-101)

ASSOCIATION FRANÇAISE DE NORMALISATION. *Vocabulaire de l'industrie des réfractaires. Partie 1: termes généraux,* Paris, Afnor, 1959, 8 p. (Fascicule de documentation, FD B 40-011)

ASSOCIATION FRANÇAISE DE NORMALISATION. *Vocabulaire de l'industrie des réfractaires. Partie 3: fabrication,* Paris, Afnor, 1959, 13 p. (Fascicule de documentation, FD B 40-013)

ASSOCIATION FRANÇAISE DE NORMALISATION. *Vocabulaire de l'industrie des réfractaires. Partie 5: les fours et l'utilisation des produits réfractaires,* Paris, Afnor, 1959, 52 p. (Fascicule de documentation, FD B 40-015)

La Banque des mots: revue semestrielle de terminologie française, Paris, Presses universitaires de France, nº 1, 1971- .

Cahiers de terminologie, trimestriel, Bruxelles, Centre de terminologie de Bruxelles, Institut libre Marie Haps, nº 1, janv. 1979- .

CAMILLE, Claude, et Michel DEHAINE. *Harrap's French and English Data Processing Dictionary*, completely rev. and updated, London, Harrap, c1985, IX, 221, 194 p.

CAND, M., et autres. *Conception des circuits intégrés MOS: éléments de base: perspectives*, Paris, Eyrolles, 1986, 437 p.

La Clé des mots: cahiers de terminologie, mensuel, Paris, Conseil international de la langue française, nº 1, oct. 1973- .

COMMISSION ÉLECTROTECHNIQUE INTERNATIONALE. *Dictionnaire CEI multilingue de l'électricité. IEC Multilingual Dictionary of Electricity*, Genève, CEI, 1983, 2 vol.

COMMISSION ÉLECTROTECHNIQUE INTERNATIONALE. *Schémas, diagrammes, tableaux. Ptie 1: définitions et classification*, 2e éd., Genève, Bureau central de la CEI, 1971, 13 p. (CEI. Publication, 113-1)

COMMISSION ÉLECTROTECHNIQUE INTERNATIONALE. *Vocabulaire électrotechnique international. Chapitre 521: dispositifs à semiconducteurs et circuits intégrés. International Electrotechnical Vocabulary. Chapter 521: Semiconductor Devices and Integrated Circuits*, Genève, Bureau central de la CEI, 1984, 91 p. (CEI. Publication, 50(521))

COMMISSION ÉLECTROTECHNIQUE INTERNATIONALE. *Vocabulaire électrotechnique international. Chapitre 531: tubes électroniques. International Electrotechnical Vocabulary. Chapter 531: Electronic Tubes*, Genève, Bureau central de la CEI, 1974, X, 157 p. (CEI. Publication, 50(531))

COMMISSION ÉLECTROTECHNIQUE INTERNATIONALE. *Vocabulaire électrotechnique international. Groupe 07: électronique. International Electrotechnical Vocabulary. Group 07: Electronics*, 2e éd., Genève, Bureau central de la CEI, 1956, 157 p. (CEI. Publication, 50(07))

COMMISSION ÉLECTROTECHNIQUE INTERNATIONALE. COMITÉ D'ÉTUDES No 47 (DISPOSITIFS À SEMICONDUCTEURS). *Circuits intégrés hybrides et à couches: termes et définitions pour les circuits intégrés à couches. Film and Hybrid Integrated Circuits: Terms and Definitions for Film Integrated Circuits,* Paris, 1986, 6 p. (Comité d'études no 47, 47 (Secrétariat) 958)

COMMISSION ÉLECTROTECHNIQUE INTERNATIONALE. COMITÉ D'ÉTUDES No 47 (DISPOSITIFS À SEMICONDUCTEURS). *Recommandation applicable aux circuits intégrés montés sur ruban porteur: procédé T.A.B. Recommendation Applying to Integrated Circuits Mounted on Tape Carrier: T.A.B. System*, Paris, 1978, 18 p. (Comité d'études no 47, 47 (FRANCE) 544)

COMMISSION INTERNATIONALE DU VERRE. SOUS-COMITÉ A1. *Terminology of Defects in Glass. Terminologie des défauts du verre*, Charleroi, Belgique, Secretariat of Sub-Committee A1 of the International Commission on Glass, 1969, 131 p.

COMPAGNIE GÉNÉRALE ÉLECTRIQUE DU CANADA LTÉE. BUREAU DE TERMINOLOGIE. SERVICE DE LINGUISTIQUE. *Lexique des semi-conducteurs*, éd. provisoire, [Île des Sœurs, Verdun], CGE, s.d., 18 p.

DRIEUX, Jean-Pierre, et Alain JARLAUD. *Let's talk DP: lexique d'informatique,* 3e éd. rév., Paris, Bordas, c1981, 127 p. (Dunod informatique. Phase formation)

DUVAL, Clément, et Raymonde DUVAL. *Dictionnaire de la chimie et de ses applications*, 3e éd., Paris, Technique et documentation, c1978, XV, 1087 p.

L'Écho des recherches, trimestriel, Issy-les-Moulineaux, France, no 1, 1950- .

Electronic Engineering Times, bihebdomadaire, Great Neck, New York, CMP Publications, 1972- .

Électronicien, mensuel, Montréal, Corporation des électroniciens du Québec, no 1, 1966- .

Électronique industrielle: automatique & informatique, bimensuel, Paris, Société de presse et de services, no 1, sept. 1980- .

ELLIOT, David J. *Integrated Circuit Fabrication Technology*, Montréal, McGraw-Hill, c1982, 403 p.

Encyclopédie des sciences industrielles Quillet: nouvelle encyclopédie pratique de mécanique d'électricité et d'électronique, Paris, Quillet, c1973-c1974, 4 t.

ETi: électronique: techniques et industries, mensuel, Paris, ESI publications, no 1, oct. 1983- .

Fiches de Radio-Canada, Montréal, Radio-Canada, Service de linguistique, 1960- .

FRANTERM. *Dictionnaire de la micro informatique*, Paris, Franterm, c1984, 133 p.

GRAF, Rudolf F. *Modern Dictionary of Electronics*, Indianapolis, Howard W. Sams, 1968, 593 p.

HARPER, Charles A. *Handbook of Thick Film Hybrid Microelectronics: a Practical Sourcebook for Designers, Fabricators, and Users*, New York, McGraw-Hill, c1974, IX, 650 p.

HILDEBERT, Jacques. *Dictionnaire de l'anglais de l'informatique*, [Paris], Garnier, 1985, 421 p. (Les Langues pour tous)

HOULDCROFT, P.T. *Les procédés de soudage*, Paris, Dunod, 1971, XI, 215 p.

HUGUES, Fredrick W. *Practical Guide to Digital Electronic Circuits*, West Nyack, New York, Parker Publishing, 1977, 255 p.

HYDRO-QUÉBEC. *Dictionnaire électrotechnique*, 4e éd. rev. et corr., [Montréal], Hydro-Québec, 1971, c1967, 68 p.

IBM FRANCE. *Terminologie du traitement de l'information*, Paris, IBM France, 1980, 164, 161, 11 p. (IBM France. Publication, GCF2-0076-4)

IEEE Standard Dictionary of Electrical and Electronics Terms, 3rd ed., New York, Institute of Electrical and Electronics Engineers, 1984, 1173 p.

Industries & techniques, trimensuel, Paris, CEP, no 1, 1957- .

L'ingénieur, bimensuel, Montréal, Association des diplômés de Polytechnique, vol. 41, no 161, 1955- .

INSTITUT INTERNATIONAL DE LA SOUDURE. *Recueil terminologique multilingue du soudage et des techniques connexes. Multilingual Collection of Terms for Welding and Allied Processes*, Bâle, Société suisse de l'acétylène, 1955-1978, 8 pties.

JONES, Roydn D. *Hybrid Circuit Design and Manufacture*, New York, Marcel Dekker, c1982, [212] p.

LAPEDES, Daniel N., ed. *McGraw-Hill Dictionary of Scientific and Technical Terms*, 3rd ed., Toronto, McGraw-Hill, c1984, 1781 p.

LE GOUIC, Roger. *Précis de soudage, brasage et techniques connexes: coupages, métallisation, rechargement*, 3e éd., Paris, Eyrolles, 1982, c1981, 158 p.

LETHUILLIER, Jacques. *Informatique: avec lexiques anglais-français et français-anglais*, Montréal, Sodilis, 1982, 213 p. (Initiation aux langues de spécialité)

Lexique international microprocesseurs, 3e éd. rev. et compl., Paris, Sybex, 1981, 180 p.

LILEN, Henri, et Pierre MORVAN. *Micro-informatique, micro-électronique: dictionnaire de définitions avec lexique anglais-français*, Culver City, California, Integrated Computer Systems, c1976, 352 p. (Microcomputers and Microelectronics)

MALGORN, Guy. *Dictionnaire technique français-anglais*, Paris, Gauthier-Villars, c1975, XXX, 471 p.

MARKUS, John. *Electronics Dictionary*, 4th ed., New York, McGraw-Hill, c1978, 745 p.

MARKUS, John. *Electronics and Nucleonics Dictionary*, 3rd ed., Toronto, McGraw-Hill, 1966, VII, 743 p.

MATHIEU, Jean-Paul, et autres. *Dictionnaire de physique*, 2e éd. rév. et augm., Paris, Masson, 1985, 568 p.

The McGraw-Hill Computer Handbook, Montréal, McGraw-Hill, c1983, pag. mult.

McGraw-Hill Encyclopedia of Science and Technology: an International Reference Work in Fifteen Volumes Including an Index, New York, McGraw-Hill, c1971, 15 vol.

MEAD, Carver, and Lynn CONWAY. *Introduction to VLSI Systems*, Don Mills, Ontario, Addison-Wesley, 1980, 396 p.

MEAD, Carver, et Lynn CONWAY. *Introduction aux systèmes VLSI*, Paris, InterÉditions, 1983, 398 p.

Meta: journal des traducteurs. Translator's Journal, trimestriel, Montréal, Presses de l'Université de Montréal, vol. 1, nº 1, mars 1966-

MILSANT, Jeanne. *Lexique d'informatique des mots et des idées: logique câblée, ordinateurs et microprocesseurs avec index alphabétique anglais-français*, Paris, Eyrolles, 1981, 122, [1] p.

MORVAN, Christiane. *Définitions du vocabulaire micro-informatique et micro-électronique avec lexique anglais-français*, Paris, Cedic, c1980, 322 p.

MORVAN, Pierre, ss la dir. de. *Dictionnaire de l'informatique*, Paris, Larousse, 1983, c1981, 341 p.

L'Onde électrique, 10 fois l'an, Paris, vol. 1, 1922-

ORGANISATION DE L'AVIATION CIVILE INTERNATIONALE. SECTION DE TERMINOLOGIE. DIVISION DE LA TRADUCTION. *Terminology Bulletin*, irrégulier, Montréal, International Civil Aviation Organization.

ORGANISATION INTERNATIONALE DE NORMALISATION. *Data Processing: Vocabulary. Traitement de l'information: vocabulaire*, Genève, ISO, 1982, 360 p. (ISO Standards Handbook, no. 1)

ORGANISATION INTERNATIONALE DE NORMALISATION. COMITÉ TECHNIQUE ISO/TC 26. *Copper and Copper Alloys: Terms and Definitions. Part 1: materials. Cuivre et alliages de cuivre: termes de référence et définitions. Partie 1: matériaux*, Genève, ISO, 1976, 4 p. (ISO Technical Report, 197/I-1976(E/F))

ORGANISATION INTERNATIONALE DE NORMALISATION. COMITÉ TECHNIQUE ISO/TC 33. *Vocabulaire pour l'industrie des matériaux réfractaires. Vocabulary for the Refractories Industry*, Genève, ISO, 1968, 148 p. (Recommandation ISO, R836-1968(F/E/R))

ORGANISATION INTERNATIONALE DE NORMALISATION. COMITÉ TECHNIQUE ISO/TC 61. *Adhesives: Vocabulary. Adhésifs: vocabulaire*, Genève, ISO, 1982, 7 p. (International Standard, ISO 6354-1982(E/F))

ORGANISATION INTERNATIONALE DE NORMALISATION. COMITÉ TECHNIQUE ISO/TC 61. *List of Equivalent Terms Used in the Plastics Industry. Liste de termes équivalents utilisés dans l'industrie des matières plastiques*, 2nd ed., Genève, ISO, 1969, (ISO Recommendation, 194-1969)

ORGANISATION INTERNATIONALE DE NORMALISATION. COMITÉ TECHNIQUE ISO/TC 97. *Data Processing: Vocabulary. Section 11: Control Input-Output and Arithmetic Equipment. Traitement de l'information: vocabulaire. Chapitre 11: organes de commande, d'entrée-sortie et de calcul*, Genève, ISO, 1976, VII, 16 p. (International Standard ISO, 2382/XI-1976 (E/F))

ORGANISATION INTERNATIONALE DE NORMALISATION. COMITÉ TECHNIQUE ISO/TC 107. *Metallic Coatings: Electroplating and Related Processes: Vocabulary. Revêtements métalliques: dépôts électrolytiques et opérations s'y rattachant: vocabulaire*, Genève, ISO, 1973, 42 p. (International Standard ISO, 2080-1973 (E/F))

PIRAUX, Henry. *Dictionnaire anglais-français des termes relatifs à l'électrotechnique, l'électronique et aux applications connexes*, Paris, Eyrolles, 1983, 396 p.

PIRAUX, Henry. *Dictionnaire français-anglais des termes relatifs à l'électronique, l'électrotechnique, l'informatique et aux applications connexes*, 10e éd. rev. et corr., Paris, Eyrolles, 1984, 218 p.

Pour la science, mensuel, Paris, Scientific American, n° 1, nov. 1977- .

QUÉBEC (PROVINCE). OFFICE DE LA LANGUE FRANÇAISE. *Néologie en marche*, Québec, Éditeur officiel du Québec, 1974- .

QUEMADA, Gabrielle, ss la dir. de. *Dictionnaire de termes nouveaux des sciences et des techniques*, Paris, Conseil international de la langue française et Agence de coopération culturelle et technique, c1983, XIX, 605 p.

RÉNYI, Pierre, et Dominique AMROUNI. *Dictionnaire anglais-français de l'électronique et de l'électrotechnique*, Toronto, Éditions Rényi, 1986, 1122 p.

SAPIRO, Steve, and Robert J. SMITH. *Handbook of Design Automation*, Sunnyvale, California, CAE, Systems, 1984, 183 p.

Scientific American, New York, Scientific American Inc., vol. 237, no. 3, Sept. 1979.

Semiconductor International, mensuel, Des Plaines, Illinois, Cahners Publishing, Division of Reed Holdings, 1978- .

SIPPL, Charles J. *Microcomputer Dictionary*, Indianapolis, Howard W. Sams, 1981, 606 p.

SIPPL, Charles J., and David A. KIDD. *Microcomputer: Dictionary and Guide*, Champaign, Matrix Publishers, c1975, 680 p.

SPENCER, Donald D. *Illustrated Computer Dictionary*, Toronto, Merrill, c1980, IX, [1], 187 p.

SPINKS, Brian. *Introduction to Integrated-Circuit Layout*, Englewood Cliffs, New Jersey, Prentice-Hall, c1985, 170 p.

TAILLEFER, Yves. *Recueil de terminologie spatiale. A Glossary of Space Terms*, Paris, Agence spatiale européenne, 1982, 432 p. (European Space Agency, SP-101)

Techniques de l'ingénieur, Paris, Techniques de l'ingénieur, c1948- , 75 vol.

Terminotech: bulletin de terminologie technique. Technical Terminology Bulletin, Montréal, Compagnie générale électrique du Canada.

Toute l'électronique: technique expliquée et appliquée, 10 fois l'an, Paris, Société des éditions Radio, n° 1, 1934- .

UNION TECHNIQUE DE L'ÉLECTRICITÉ. *Composants électroniques: glossaire des termes utilisés en microélectronique hybride*, Paris, UTE, 1986, 23 p. (UTE, C 96-415)

UNION TECHNIQUE DE L'ÉLECTRICITÉ. *Microstructures: microstructures logiques: terminologie*, Paris, UTE, 1979, 67 p. (Association française de normalisation (AFNOR). Norme française enregistrée, NF C 96-211)

UNION TECHNIQUE DE L'ÉLECTRICITÉ. *Microstructures: sélection des circuits intégrés par élimination des défauts de jeunesse: prescriptions générales*, Paris, UTE, 1985, 56 p. (Association française de normalisation (AFNOR). Norme française homologuée, NF C 96-883)

UNION TECHNIQUE DE L'ÉLECTRICITÉ. *Répertoire des termes relatifs à la conception*, Paris, s.d., 7 p. (UTE. Document, 9610-Exp.14-113)

VAN TREES, Harry L. *Satellite Communications*, New York, IEEE Press, c1979, X, 665 p. (Selected Reprint Series)

VILLERS, Marie-Éva de. *Vocabulaire de l'informatique de gestion*, Québec, Éditeur officiel du Québec, 1975, 49, [2] p. (Terminologie de la gestion)

WILLIAMS, Arthur Bernard, ed. *Designer's Handbook of Integrated Circuits*, New York, McGraw-Hill, c1984, 864 p.

Table des matières

Achevé d'imprimer en juin 1988
sur les presses de l'imprimerie Idéale inc.

Composition typographique: Typoform
Séparation de couleurs: Lithochrome inc.